Ce livre a été offert à

Jeanne

par

Date: _____

Chers parents,

Visiter régulièrement le dentiste constitue une excellente habitude qui aidera votre enfant à conserver ses précieuses dents pour la vie. Une bonne hygiène dentaire lui permettra également d'avoir un beau sourire, de bien articuler et de mieux mâcher ses aliments.

Une suggestion ? Lisez ce livre avec votre tout-petit avant sa prochaine visite chez le dentiste. En le familiarisant avec ce monde peu accueillant au premier regard, votre jeune sera en mesure de mieux apprécier son expérience. Vous verrez : son sourire en sera un en santé !

©1997 The Lyons Partnership, L.P.

2002 Publié par les Éditions Phidal inc.
5740 Ferrier, Montréal, Québec, Canada, H4P 1M7
www.phidal.com

Nous reconnaissons l'aide financière du gouvernement du Canada par l'entremise du PADIÉ pour nos activités d'édition.

Barney™
Va chez le dentiste

Linda Cress Dowdy • Photographies par Denis Full

« Aujourd'hui, nous irons chez le dentiste »,
annonce la mère d'Élise.

« Le dentiste ? Qui est-ce ? » se demande
aussitôt la fillette.

« Le dentiste est un médecin qui s'occupe de tes dents », lui répond sa maman.

« Et il connaît tous les trucs pour qu'elles restent en bonne santé. »

Dès son arrivée dans le cabinet du dentiste, Élise rencontre Barney.

« Bonjour Élise », dit-il. « Je viens visiter le Dr Fortin moi aussi. Tu verras, il est très sympathique ! »

« Il commencera par examiner tes dents pour s'assurer qu'elles soient bien belles. Ensuite, il lui faudra les brosser et les polir », explique le dinosaure.

« Voudrais-tu m'accompagner, Barney ? » demande la jeune Élise.

« Bien sûr. Et avec plaisir ! »

« Élise, voici mon ami le Dr Fortin », annonce Barney.

« Bonjour Élise. Tu as bien fait de venir ici aujourd'hui », réplique le dentiste.

« Assieds-toi sur ma chaise spéciale, dit le médecin. Elle bouge dans tous les sens, même de bas en haut ! »

« C'est très amusant ! » s'exclame Élise.

Pour éviter de contaminer la bouche d'Élise, le dentiste met des gants. Puis, il la couvre avec une serviette en papier et dirige la lumière vers l'intérieur de sa bouche.

« Si tu parviens à l'ouvrir très grand, je pourrai voir toutes tes dents ! » poursuit le Dr Fortin.

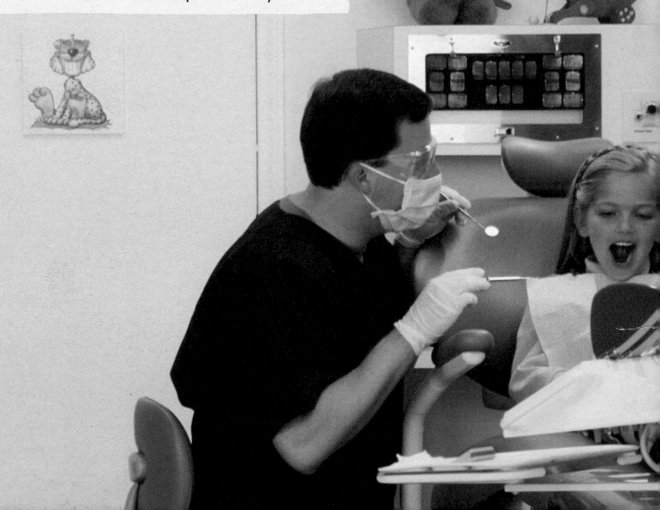

« Voudrais-tu m'aider à compter tes dents ? »
demande le dentiste à Élise. « Tiens bien
le miroir. »

Le médecin utilise cet instrument en
compagnie d'un outil en forme de crochet
appelé « explorateur ».

« 1,2,3,4... Je compte 20 dents ! » affirme le
dentiste.

« Impressionnant ! » remarque Barney.

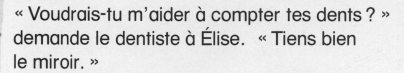

Le Dr Fortin doit ensuite prendre une photo aux rayons X de la bouche d'Élise. *Clic!*

« Le rayon X permet de photographier toutes tes dents pour voir comment elles poussent », commente Barney.

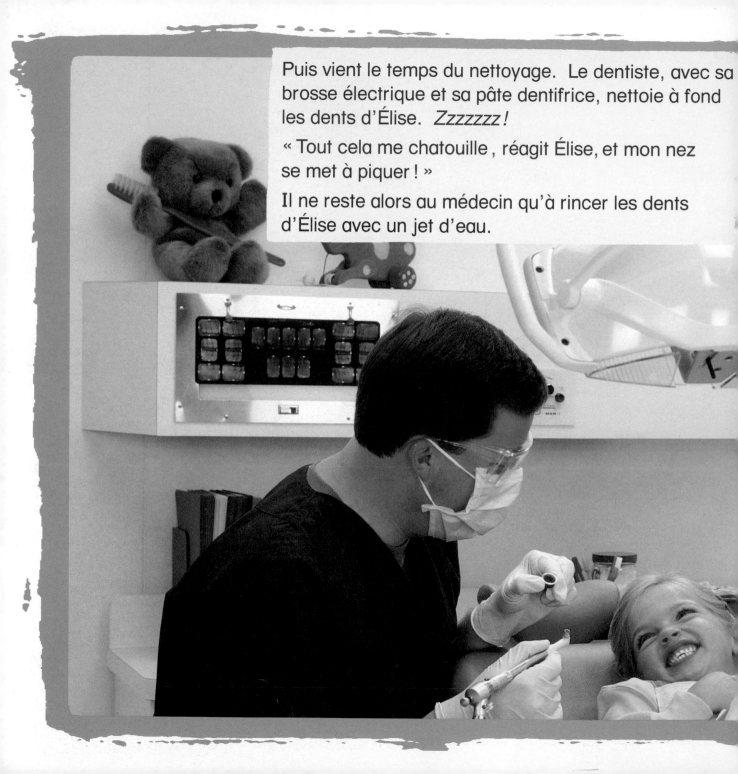

Puis vient le temps du nettoyage. Le dentiste, avec sa brosse électrique et sa pâte dentifrice, nettoie à fond les dents d'Élise. *Zzzzzzz!*

« Tout cela me chatouille , réagit Élise, et mon nez se met à piquer ! »

Il ne reste alors au médecin qu'à rincer les dents d'Élise avec un jet d'eau.

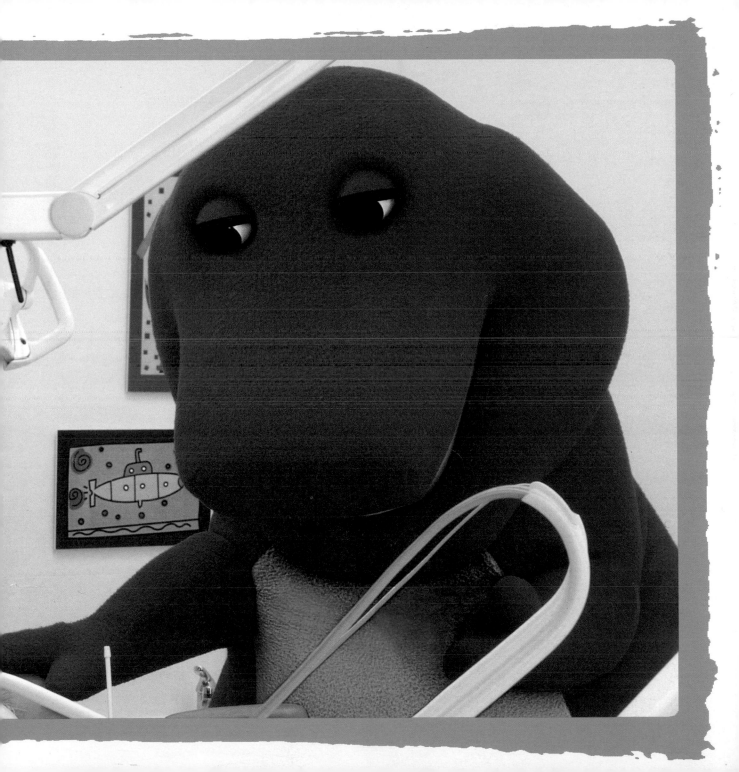

« Pour que tes dents demeurent solides, il faut les brosser au moins deux fois par jour », insiste le dentiste.
« Surtout au réveil et avant d'aller au lit. »

Puis Barney rajoute :
« Brosse-les d'en avant jusqu'en arrière, et de haut en bas. Un peu comme la chaise du dentiste ! »

« Tu as été une patiente extraordinaire aujourd'hui.
N'oublie pas de prendre soin de toutes tes dents
jusqu'à ta prochaine visite », termine le Dr Fortin.

Élise peut maintenant sortir son sourire le plus radieux !

« Le dentiste a été très gentil », se confie-t-elle à Barney

« Je veillerai à toujours garder mes dents propres »,
annonce Élise. « Elles semblent toutes douces et
nettes. Et je n'ai pas parlé de mon sourire ! »

« Merci de m'avoir tenu compagnie, Barney. C'est
ton tour maintenant ! » rajoute-t-elle en lui faisant
une grimace !